1 Cross out the numbers in the word~~s~~ ~~...~~ ast participles needed to complete the text below.

2 Complete the text with the correct past participles from the wordsnake above. Two of the past participles are used twice.

Mein Vorbild ist Brian Cox, weil er sehr charismatisch und begabt ist. Er hat ganz viele interessante Erlebnisse **1** _gehabt_ .

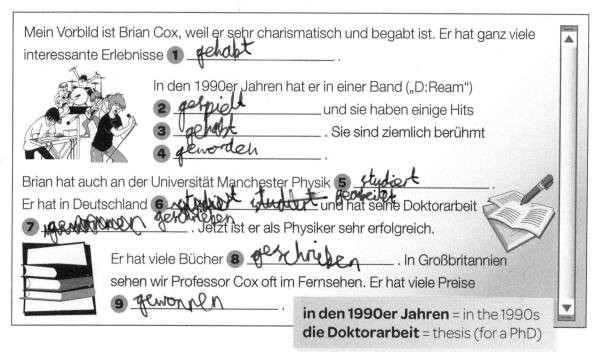

In den 1990er Jahren hat er in einer Band („D:Ream") **2** _gespielt_ und sie haben einige Hits **3** _gehabt_ . Sie sind ziemlich berühmt **4** _geworden_ .

Brian hat auch an der Universität Manchester Physik **5** _studiert_ . Er hat in Deutschland **6** ~~studiert studiert~~ _gearbeitet_ und hat seine Doktorarbeit **7** ~~gewonnen~~ _geschrieben_ . Jetzt ist er als Physiker sehr erfolgreich.

Er hat viele Bücher **8** _geschrieben_ . In Großbritannien sehen wir Professor Cox oft im Fernsehen. Er hat viele Preise **9** _gewonnen_ .

> **in den 1990er Jahren** = in the 1990s
> **die Doktorarbeit** = thesis (for a PhD)

3 Translate the first two paragraphs of the text into English.

My role model is Brian Cot, because he is very charismatic and talented. He has had many interesting experiences. In the 199 the he was in a band ('D:Ream')

4 Write a few sentences about what two of these celebrities have done in the past, using the perfect tense.

Simon Cowell (Fernsehstar)   Taylor Swift   (Sängerin)

Rafa Nadal   (Tennisspieler)   Anne Hathaway (Schauspielerin)

> ist ... gefahren / geworden
> hat ... gesehen / gespielt / gearbeitet / gemacht / gehabt / geschrieben

3 Beweg dich! (Seite 12–13)

1 **Solve the clues and write the body parts in the crossword.**

➡

2 Ich denke damit. Das ist der ...

4 Man hört Musik damit. Das sind die ...

7 Ich laufe damit. Das sind die ...

⬇

1 Ich sitze darauf. Das ist der ...

2 Es ist unter dem Mund. Das ist das ...

3 Er ist am Ende von meinem Bein. Das ist der ...

5 Ich schlafe darauf. Das ist der ...

6 Sie ist am Ende von meinem Arm. Das ist die ...

> **damit** = with it/them **am Ende von** = at the end of
> **darauf** = on it/them

2 **Match the pictures to the instructions. Write the correct letter beneath each picture. You won't need four of the instructions!**

a Beug die Knie!

b Leg dich auf den Rücken!

c Heb langsam die Beine!

d Lauf rückwärts!

e Spring hoch!

f Vergiss nicht, Wasser zu trinken!

g Streck die Arme nach links!

h Steh auf!

i Setz dich!

j Lauf vorwärts!

1 h   2 i   3 f

4 j   5 e   6 b

3 **Point out the parts of Erwin's body. Write five more sentences, following the example.**

1   Das ist Erwins Nase.

2   Das ist Erwins Arm.

3   Das sind Erwins Füße.

4   Das ist Erwins H...

5   Das sind Erwins A...

6   Das ist Erwins Knie

> Use *Das ist ...* for singular body parts.
> Use *Das sind ...* for plural body parts.

1 Read the news article. Then complete the table with the correct past participles from the text. Do these verbs form the perfect tense with *haben* or with *sein*?

RADUNFALL IN DER STADT

An einem Samstagnachmittag letzten Monat hat ein Radfahrer in der Stadtmitte einen Unfall gehabt. Ein Mercedes ist zu schnell gefahren und der Radfahrer ist von seinem Rad gefallen. Heiko Meyer (27) hat sich schwer verletzt. Er hat sich das Bein gebrochen und ist mit einem Krankenwagen ins Krankenhaus gekommen. Er hat sich auch die Schulter verletzt und hat vier Tage im Krankenhaus verbracht. Jetzt ist Herr Meyer zu Hause. Der Mercedes-Fahrer Dieter Bauer (73) hat sich nicht verletzt. Die Polizei sagt, er hat keinen Alkohol getrunken.

---

infinitive	past participle	*haben* or *sein*?
haben (to have)	gehabt	haben
fahren (to go/drive/travel)	gefahren	sein
fallen (to fall)	gefallen	sein
sich ... brechen (to break ...)	sich ... gebrochen	haben
kommen (to come)	gekommen	sein
trinken (to drink)	getrunken	haben

2 Read the text again. Are these sentences true (✔) or false (✗)?

1 The accident happened on a Sunday afternoon. ☒

2 The car was going too fast. ☑

3 The cyclist, Heiko, broke his arm. ☒

4 He also hurt his shoulder. ☑

5 He stayed in hospital for four days. ☑

6 He is back at home now. ☑

7 The driver, Dieter, was also injured. ☒

8 The driver had drunk alcohol. ☒

3 Translate these sentences into English.

1 Martina hat sich den Arm gebrochen. _Martina broke her arm._

2 Du bist ins Krankenhaus gekommen. _You went to hospital._

3 Ich habe mir das Bein verletzt. _I hurt my leg._

4 Ich bin ins Wasser gefallen. _I fell into water._

 Remember that sentence structures and word order can be very different in German and in English, so don't translate word for word.

1 Read what Sebastian and Anja say about their role models and their plans for the future. Then highlight three verbs in the present tense, <u>underline</u> three verbs in the perfect tense and (circle) three verbs in the future tense.

> Meine Schwester Marita inspiriert mich. Sie ist Krankenschwester. Sie hat in München studiert und jetzt arbeitet sie in einem Krankenhaus in Stuttgart. Nächstes Jahr wird sie aber für eine Hilfsorganisation in Uganda arbeiten. Das wird schwierig, aber auch sehr interessant sein. Ich werde in vier Jahren hoffentlich Medizin studieren und auch später als Arzt im Ausland arbeiten.
>
> *Sebastian*

> Mein Vorbild ist keine Sportlerin, keine Politikerin und keine Schauspielerin. Nein, mein Vorbild ist meine Grundschullehrerin, Frau Kutschinski. In der Grundschule habe ich immer hart gearbeitet, weil Frau Kutschinski immer so freundlich und selbstlos war. Sie war immer so interessant und lustig und das hat mich wirklich inspiriert. Ich werde nächstes Jahr an der Uni Lehramtsstudium machen, weil ich auch Lehrerin werden möchte. Ich möchte die neue Generation inspirieren!
>
> *Anja*

Grundschule = primary school
Lehramtsstudium = teaching course

2 Answer the questions in English.

1 Where does Marita work? _____

2 What is she going to do in Uganda? _____

3 What does Sebastian think this will be like? _____

4 What two future plans does Sebastian have? _____

_____

5 What kinds of people are **not** Anja's role models? _____

_____

6 Which four adjectives does Anja use to describe her role model?

_____

7 What does Anja plan to do? _____

8 Why does she want to do this? _____

5 Lass dich inspirieren! (Seite 16–17)

3 **Choose two of the following people (or choose your own role models) and write about how they inspire you.**

- What is each person like?
- What do they do (present tense)?
- What have they done (perfect tense)?
- Can you also say something about what you will do in the future (future tense)?
- Borrow phrases, sentences and ideas from the texts in this unit and on the previous pages.

Angela Merkel
(Bundeskanzlerin)

Kate Moss
(Model)

Rory McIlroy
(Golfspieler)

Sebastian Vettel
(Rennfahrer)

_____
_____
_____
_____
_____
_____
_____
_____
_____

⚡ Accuracy

- Be accurate and check your work.
- Start nouns with capital letters.
- Don't forget umlauts!
- Think about word order, especially after *weil*.
- Remember: the perfect tense = a part of *haben* or *sein* and a past participle (e.g. *er hat … gemacht*); the future tense = a part of *werden* plus an infinitive (e.g. *er wird … machen*).
- Proofread your work for mistakes.

1 Read the article about Davina McCall and note down a few things that you can understand.

! Don't worry if you don't understand every word. Just try to get the gist at first.

Davina McCall—eine Inspiration!

Die britische Fernsehmoderatorin Davina McCall hat im Februar 2014 für die Wohltätigkeitsorganisation „Sport Relief" ein großes sportliches Abenteuer gehabt. Davinas Aufgabe war ein sieben Tage langer Triathlon, über 800 Kilometer! Diese Organisation hilft Menschen in Not – in Großbritannien und auf der ganzen Welt.

Zuerst ist Davina in Schottland Fahrrad gefahren. Dann ist sie in Nordengland durch einen großen See geschwommen und zum Schluss hat sie in London mit anderen Stars einen Marathonlauf gemacht. Das war natürlich sehr schwierig und am Ende war Davina total erschöpft, aber sie hat ihre Fans inspiriert und sie haben fast drei Millionen Euro gespendet. Man sollte Davina nicht unterschätzen!

2 Find the German for the words and phrases below in the article in exercise 1.

1 TV presenter _____

2 Davina's task was _____

3 people in need _____

4 marathon _____

5 exhausted _____

3 Correct the mistake in each of the German sentences to summarise the article.

1 Davina hat im ~~Januar~~ 2014 einen Triathlon für „Sport Relief" gemacht.

   Davina hat im Februar 2014 einen Triathlon für „Sport Relief" gemacht.

2 „Sport Relief" hilft nur Menschen in Großbritannien.

3 Davina ist in Nordirland Fahrrad gefahren.

4 Dann ist sie in Nordengland im Meer geschwommen.

5 In London hat sie alleine einen Marathonlauf gemacht.

alleine = alone

6 Davina hat zwei Millionen Euro für „Sport Relief" gesammelt.

1 **Read about Sabine Lisicki and answer the questions.**

Sabine Lisicki

Ein tolles Vorbild für alle jungen Sportler!

Sabine Lisicki ist im September 1989 geboren. Sie war sportlich sehr begabt und mit siebzehn Jahren ist sie Profi-Tennisspielerin geworden. Im Jahr 2009 war sie im Wimbledon-Viertelfinale. Leider hat sie sich im März 2010 das Bein verletzt. 2011 hat sie in Wimbledon gegen Maria Sharapova gespielt, aber Maria Sharapova hat gewonnen und im nächsten Jahr hat Sabine Lisicki sich wieder verletzt. Sabine Lisicki war aber 2013 im Finale. Marion Bartoli hat das Finale gewonnen. Viele junge Sportler sehen Sabine Lisicki als Vorbild. Vielleicht wird Sabine Lisicki nächstes Jahr in Wimbledon gewinnen?

1 When was Sabine Lisicki born? _____

2 At what age did she turn professional? _____

3 When did she get injured for the first time? _____

4 When did she get to the Wimbledon quarter-finals? _____

5 Who beat her in 2011? _____

6 Has Sabine ever won Wimbledon? _____

2 **Use the internet to find a German, Austrian or Swiss sports star, for example in football or winter sports, and write about them. Try to use some of the structures and vocabulary you have learned in this chapter.**

_____

_____

_____

_____

_____

_____

_____

_____

Grammatik (Seite 22–23)

1 Are the following present-tense verbs regular or irregular? Next to each one, write 'R' for regular or 'I' for irregular.

1 er isst (essen) _____I_____

2 bist du ...? (sein) _____

3 sie spielt (spielen) _____

4 es läuft (laufen) _____

5 du hörst (hören) _____

6 man liest (lesen) _____

7 sie nimmt (nehmen) _____

8 du singst (singen) _____

9 sie verdient (verdienen) _____

10 man macht (machen) _____

11 sprichst du ...? (sprechen) _____

12 man sieht (sehen) _____

> **Grammatik**
> Most verbs are regular (*regelmäßig*) in the present tense.
> Some verbs are irregular (*unregelmäßig*) in the **du** and **er/sie/es/man** forms. An example is the verb *fahren*: *ich fahre* **but** *du f**ä**hrst, er f**ä**hrt*.
> The verb *sein* is very irregular.

2 Write in the correct auxiliary verb and past participle to complete these perfect-tense sentences.

1 Wie lange __bist__ du __geblieben__? (bleiben)

2 Wir _____ viel _____ . (lernen)

3 _____ du mein Handy _____ ? (sehen)

4 Opa _____ krank _____ . (werden)

5 Susanne _____ nach Wien _____ . (fahren)

6 Ich _____ ein Buch _____ . (lesen)

7 Wann _____ der Film _____ ? (beginnen)

8 _____ ihr zu Fuß _____ ? (gehen)

> **Grammatik**
> Most verbs that take *sein* as the auxiliary involve movement. The main exceptions are *bleiben* and *werden*.

3 Translate these future-tense sentences into German.

1 I will run fast.

2 We will go to the cinema.

3 Hardi will earn lots of money.

4 Maria will play tennis.

5 We will win a medal.

6 Will you (singular) become an actor?

> **Grammatik**
>
> | | | |
> |---|---|---|
> | ich werde | wir werden | |
> | du wirst | ihr werdet | + infinitive |
> | er/sie/es/man wird | Sie werden | at the end |
> | | sie werden | |

1 Record your levels for *Kapitel* 1.

2 Look at the level descriptors on pages 57–58 and set your targets for *Kapitel* 2.

3 Fill in what you need to do to achieve these targets.

Listening	I have reached Level _____ in **Listening**.
	In *Kapitel* 2, I want to reach Level _____
	I need to _____
	_____
	_____
	_____
Speaking	I have reached Level _____ in **Speaking**.
Hallo!	In *Kapitel* 2, I want to reach Level _____
	I need to _____
	_____
	_____
	_____
Reading	I have reached Level _____ in **Reading**.
	In *Kapitel* 2, I want to reach Level _____
	I need to _____
	_____
	_____
	_____
Writing	I have reached Level _____ in **Writing**.
	In *Kapitel* 2, I want to reach Level _____
	I need to _____
	_____
	_____
	_____

Charaktereigenschaften • Character traits

X ist mein Vorbild, weil er/sie ... ist.	X is my role model/ idol because he/she is ...
begabt	talented
berühmt	famous
bescheiden	modest
charismatisch	charismatic
erfolgreich	successful
großzügig	generous
originell	original
reich	rich
selbstbewusst	self-confident
selbstlos	selfless
Er/Sie ist nicht ...	He/She is not ...
arrogant	arrogant
launisch	moody
nervig	annoying
mein(e) Lieblingsschauspieler(in)	my favourite actor/ actress
mein(e) Lieblingssänger(in)	my favourite singer
mein(e) Lieblingssportler(in)	my favourite athlete

Was macht er/sie? • What does he/she do?

Er/Sie läuft schnell.	He/She runs fast.
Er/Sie fährt schnell Rad.	He/She cycles fast.
Er/Sie singt viele Lieder.	He/She sings many songs.
Er/Sie liest die Nachrichten.	He/She reads the news.
Er/Sie ist oft im Fernsehen.	He/She is often on TV.
Er/Sie spielt gut Gitarre.	He/She plays guitar well.

Was hast du in deinem Leben gemacht? • What have you done in your life?

Ich habe ...	I have ...
mit Kindern gearbeitet	worked with children
Leute glücklich gemacht	made people happy
interessante Erlebnisse gehabt	had interesting experiences
viele Preise gewonnen	won a lot of prizes
viele Länder gesehen	seen a lot of countries
viel Geld verdient	earned a lot of money
viel trainiert	trained a lot
Biologie studiert	studied biology
Ich bin nach Afrika gefahren.	I have travelled to Africa.
Ich bin berühmt geworden.	I have become famous.

Der Körper • The body

der Kopf(¨e)	head
die Schulter(n)	shoulder
der Arm(e)	arm
die Hand(¨e)	hand
der Rücken(–)	back
der Bauch(¨e)	stomach
der Po(s)	bottom
das Bein(e)	leg
das Knie(–)	knee
der Fuß(¨e)	foot

Das Gesicht • The face

das Auge(n)	eye
das Ohr(en)	ear
die Nase(n)	nose
der Mund(¨er)	mouth
das Kinn(e)	chin

Wörter

Beweg dich! • Get moving!

Beug die Knie!	*Bend your knees!*
Heb die Beine!	*Lift your legs!*
Lauf vorwärts/ rückwärts!	*Run forwards/ backwards!*
Leg dich auf den Rücken!	*Lie on your back!*
Setz dich!	*Sit down!*
Spring hoch!	*Jump high!*
Steh auf!	*Stand up!/Get up!*
Streck dich!	*Stretch!*
Streck die Arme nach links/rechts!	*Stretch your arms to the left/right!*
Vergiss nicht, Wasser zu trinken!	*Don't forget to drink water!*

Was ist passiert? • What happened?

Ich habe mir das Bein verletzt.	*I injured my leg.*
Ich habe einen Unfall gehabt.	*I had an accident.*
Ich bin vom Rad gefallen.	*I fell off my bike.*
Ich habe mir den Arm gebrochen.	*I broke my arm.*
Ich bin ins Krankenhaus gekommen.	*I went to hospital.*
Ich habe einen Monat ... verbracht.	*I spent a month ...*
in der Reha	*in rehab, convalescing*
im Rollstuhl	*in a wheelchair*
Ich habe eine Medaille gewonnen.	*I won a medal.*
Ich habe es geschafft.	*I managed it.*
Ich habe eine Prothese bekommen.	*I got an artificial limb.*

Die Zukunft • The future

Ich werde ...	*I will ...*
hart arbeiten	*work hard*
(in Asien) arbeiten	*work (in Asia)*
Sport machen	*do sport*
Geld spenden	*donate money*
viel Geld verdienen	*earn a lot of money*
Theaterwissenschaften studieren	*study drama*
mich bemühen, Arzt/ Ärztin zu werden	*try hard to become a doctor*
Tanzstunden nehmen	*take dance lessons*
Geld für eine Hilfsorganisation/ Wohltätigkeitsorganisation sammeln	*raise money for an aid organisation*
für Menschenrechte kämpfen	*fight for human rights*
Wer inspiriert dich?	*Who inspires you?*
... inspiriert mich.	*... inspires me.*

Oft benutzte Wörter • High-frequency words

Ich liebe ...	*I love ...*
Ich mag ... nicht	*I don't like ...*
Ich hasse ...	*I hate ...*
sehr	*very*
so	*so*
zu	*too*
nicht	*not*
nie	*never*
nächstes Jahr	*next year*
in zehn Jahren	*in ten years' time*

1 Read the forum entries and answer the questions below.

Was für Musik hörst du gern? [🔍]

Ich mag Popmusik, weil ich sie lustig finde. Sie macht gute Laune und das ist mir wichtig. Meine Lieblingsband ist „Funki" – ich finde sie sehr gut. Aber ich hasse das Lied „Melancholisch", weil ich es deprimierend finde. **Jutta**

Meine Lieblingssängerin ist Lady Gaga, weil sie so energiegeladen ist. Ihre Lieder haben einen guten Rhythmus. Meine Eltern mögen Lady Gaga leider nicht – sie finden sie kitschig. Das ist aber Quatsch! Klassische Musik höre ich nicht gern, weil sie ein bisschen altmodisch ist. **Thomas**

Ich höre den Hit „La-Ha-Ha" nicht gern. Ich finde ihn altmodisch, aber ich mag Klassische Musik, weil sie sehr melodisch ist. Heavy Metal-Musik ist für mich zu aggressiv. Ich denke, sie klingt negativ und die Lieder haben immer schlechte Texte! **Gabi**

1	Who has a favourite band?	*Jutta*
2	Who likes classical music?	*Gabi*
3	Who mentions bad song lyrics?	*Gabi*
4	Who mentions songs with a good rhythm?	*Thomas*
5	Who says that a type of music puts them in a good mood?	*Jutta*
6	Whose parents don't share their taste in music?	*Jutta Thomas*

2 In the forum entries, highlight one sentence with the masculine direct object pronoun, circle one with the feminine direct object pronoun, and underline one with the neuter direct object pronoun.

> **Grammatik**
> Direct object pronouns replace nouns that are the object of a sentence.
> **M:** Ich mag Bob Marley. ➜ Ich finde **ihn** toll!
> **F:** Ich hasse Popmusik. ➜ Ich finde **sie** kitschig.
> **N:** Ich mag das Lied „Roar". ➜ Ich finde **es** energiegeladen.

3 Using the notes, write your own forum entry.

> • Jazzmusik – die Melodien – kreativ – macht gute Laune
> • Dance-Musik – monoton
> • Lieblingssänger – Bruno Mars – unterhaltsam – die Lieder haben gute Texte

1 Put the words in the right order to make sentences saying how long people have been playing music.

Grammatik

To say how long someone has been doing something, use *seit* with the present tense:

Ich singe seit November.

I have been singing since November.

1 spiele Jahren Ich zwei Klavier seit

Ich spiele seit … zwei Jahren Klavier

2 Bruder seit Schlagzeug August Mein spielt

Mein Bruder spielt seit August Schlagzeug.

3 seit in spielen Wir Band Monaten einer sechs

Wir spielen seit sechs Monaten in einer Band.

4 Wochen spiele Gitarre seit Ich vier

Ich spiele seit vier Wochen Gitarre

5 Oktober spielt im Heidi Schulorchester seit

Heidi spielt seit October im Schulorchester

6 Grundschule spielst der Du seit Trompete

Du spielst seit der Grundschule Trompete.

2 Read about Bastian and look at the statements that follow. Are they true (✓) or false (✗)?

Mein Name ist Bastian. Meine Lieblingsmusik ist Jazz, aber ich mag auch Reggae. Früher habe ich im Schulchor gesungen, aber das mache ich nicht mehr, weil der Musiklehrer nervig ist. Ich mag ihn nicht. Seit sechs Monaten lerne ich Bassgitarre. Das finde ich praktisch, weil die meisten Bands Bassisten haben. Mein Lieblingsbassist ist Flea von den „Red Hot Chili Peppers". Ich finde ihn super, weil er so originell spielt. Jetzt bin ich in einer Band und wir spielen am Wochenende im Jugendklub. Wir suchen einen Sänger mit Erfahrung!

1 Bastian's favourite music is jazz. ✓

2 He dislikes reggae. ✗

3 He sings in a choir. ✗

4 He doesn't like the music teacher. ✓

5 He's been playing bass for years. ✗

6 Most bands have a bass guitar. ✓

7 He thinks Flea is a boring player. ✗

8 He plays gigs in a youth club. ✓

Stimmt! 3 Rot © Pearson Education Limited 2015

1 Read the magazine article and then answer the questions in English.

	haben abgestimmt = voted **die Konkurrenz** = competition **die Bühne** = stage

ROSTOCK ROCKT!

Am letzten Samstag haben in Rostock sechs Bands in einem Bandwettbewerb gespielt. Jede Gruppe hat drei Lieder gespielt. Die 2000 Fans haben mit ihren Handys abgestimmt. Die Konkurrenz war richtig stark, aber „Affengeil", eine junge Metal-Band, war energiegeladener und lauter als die anderen Bands und hat den Wettbewerb und den Titel „Rostock-Rocker" gewonnen. Mit ihren Kostümen war ihr Look cooler als die anderen Looks und der Sänger war dynamischer als die anderen Sänger. Ihr Preis: 1000 Euro und ein Platz auf der Bühne beim Wacken-Festival im Juli!

„AFFENGEIL"

Affen = monkeys/apes   **affengeil** = cool

1 When and where did the competition take place? _____

2 What did the bands have to do? _____

3 How did the audience vote? _____

4 Who won? _____

5 Which four comparisons are made between 'Affengeil' and the other bands?

_____

6 What was the prize? Mention two things. _____

2 Imagine you were at the competition and preferred another band to 'Affengeil'. Write some sentences using the comparative to say what they were like. Try to include a sentence with *weil*.

Meine Lieblingsband war … Sie war viel cooler als „Affengeil"!

- Ihre Lieder waren …
- Der Sänger/Die Sängerin war …
- Der Gitarrist/Die Gitarristin war …
- Ihre Musik war …

Grammatik

To form the comparative, add **-er** to the adjective. Some one-syllable adjectives add an umlaut.

modern → moderner

groß → größer

1 Read the blog entry by Axel from 'Affengeil' about the Wacken Open-Air-Festival. Highlight the six separable past participles found in the text.

 For more on separable verbs, see page 20.

„**AFFENGEIL**" 31. Juli – Wacken Open-Air

WACKEN OPEN-AIR
Metallica
Die Toten Hosen
Gäste: Affengeil

Im März haben wir an einem Bandwettbewerb in Rostock teilgenommen, und wir haben gewonnen! Gestern haben wir auf dem Wacken-Festival in der Nähe von Hamburg gespielt – das war unser Preis!

Wir sind um drei Uhr nachmittags in Wacken angekommen und haben zuerst die Attraktionen gesehen. Dann haben wir gegessen. Wir haben ein exotisches Café ausprobiert – das Essen war lecker! Dann haben wir coole Bands gesehen. Backstage habe ich Campino von den „Toten Hosen" kennengelernt. Mann, war das ein Privileg! Er war schon immer mein Vorbild. Um 20 Uhr haben wir gespielt. Natürlich haben wir unsere Affenkostüme angezogen. Die Fans haben mitgesungen. Wir werden es nie vergessen! „Metallica" war lauter als wir, aber wir waren besser (sage ich!).

ankommen (sep.) = to arrive
mitsingen (sep.) = to sing along

---

2 Read the blog entry again and answer the questions in English.

1 At what time did 'Affengeil' arrive in Wacken yesterday? _____

2 What was the first thing they did after they arrived? _____

3 Who did Axel meet? _____

4 What does Axel say about this person? _____

5 At what time did 'Affengeil' play? _____

6 How did the fans react? _____

7 What comparisons does Axel make between his band and 'Metallica'? _____

_____

3 Imagine you were at the Wacken Festival. Write a paragraph about your experience.

Ich war letzte Woche auf dem

Wacken-Festival. Das war wirklich

super! Ich …

You could include:
• what you saw
• who you met
• what you tried out
• what you took part in.

Perspektiven (Seite 40–41)

1 Read the text message, the email and the letter about the Sommernacht Festival. What is each person's opinion? Write P (positive), P&N (positive and negative) or N (negative) next to each name.

Tobias, es ist affenstark hier! Die Leute sind toll, die Musik ist wahnsinnig und wir haben nur Spaß! **Ayse**

• • •

Hallo Jan!

Letztes Wochenende war ich auf dem Sommernacht-Festival in Uelzen. Ich war zum zweiten Mal auf dem Festival und es hat mir so viel Spaß gemacht! Die Stimmung war toll! Nur das Essen war zu teuer und leider war das Wetter schlechter als letztes Jahr. Wie geht's dir? Das nächste Mal musst du mitkommen! Schreib mir bald!

Deine Kati

Ayse _____

Kati _____

Olaf _____

Sehr geehrter Herr Braun,

ich finde es in Ordnung, wenn junge Leute Spaß haben, aber das Festival ist nicht gut für unsere Stadt. Die Musik ist viel zu laut und es gibt überall Müll. Das Festival zerstört unsere Umwelt und das ist nicht akzeptabel. Ich bin sehr enttäuscht. Ich bitte Sie, über die Situation noch mal nachzudenken. Wir sollten hier kein Festival mehr haben.

Mit freundlichen Grüßen,

Olaf Barsch

2 Find the German for the following phrases in the texts in exercise 1.

1 amazingly good _____

2 crazy _____

3 the mood _____

4 the next time _____

5 I think it's OK _____

6 disappointed _____

7 I ask you _____

8 to think about the situation again _____

3 Are these expressions from the texts formal or informal? Write F or I.

1 Sehr geehrter Herr Braun _____

2 Hallo Jan! _____

3 Wie geht's dir? _____

4 Mit freundlichen Grüßen _____

5 Schreib mir bald! _____

6 Ich bitte Sie _____

7 Es ist affenstark hier! _____

8 Deine Kati _____

1 **Read about Timo and complete the first row of the table below in English.**

> Ich höre gern Rockmusik, weil sie energiegeladen ist. Sie macht gute Laune! Seit 2013 spiele ich Gitarre, weil das Spaß macht! Ich spiele dreimal pro Woche in der Garage. Meine Eltern sagen, meine Musik ist viel zu laut! Letztes Jahr war ich auf einem Festival in München. Die Stimmung war wunderbar! **Timo**

	Type of music they like	Instrument they play	How long they've been playing	How often they play	Where they play
Timo					
Tanja	classical	violin	6 months	every Sunday	in the church

2 **Look at the information for Tanja in the table above and write a similar paragraph for her. Add in extra details if you can.**

_____

_____

_____

_____

3 **Complete these sentences using any adjectives you like in the comparative form (as long as they make sense!).**

1 Beyoncé ist _cooler_____ als One Direction.

2 Jay-Z ist _____ als Robbie Williams.

3 Mumford & Sons ist _____ als Coldplay.

4 Dizzee Rascal ist _____ als will.i.am.

5 Adele singt _____ als Miley Cyrus.

6 Taylor Swift ist _____ als Bono.

> **!** Look back at page 16 for a reminder of how to form the comparative.

4 **Write a blog entry about your tastes in music.**

You might want to include the following:
- whether you play an instrument and, if so, for how long you've been playing
- which types of music you like and why
- which artists you like and why
- whether you have been to a festival and what you thought of it.

> **!** Look back over the last few pages for ideas to borrow. Include as much variety as possible in your writing!

1 Rewrite these sentences, replacing the underlined words with pronouns.

Grammatik

	masculine	feminine	neuter	plural
subject pronoun:	er	sie	es	sie
object pronoun:	ihn	sie	es	sie

1 Olaf mag Realityshows. _Er mag sie._

2 Mike hört den Hit. _____

3 Die Sängerin schreibt ein Lied. _____

4 Hannah organisiert ein Festival. _____

5 Die Frau spielt Geige. _____

6 Meine Cousine hasst meinen Bruder. _____

2 Translate the sentences below into German.

Grammatik
Use *seit* + the present tense.

1 I have been playing saxophone for six weeks.

Ich spiele seit sechs Wochen Saxofon.

2 He has been singing since primary school.

_____

3 We have been going to Glastonbury Festival for five years.

_____

4 I have been here for 30 minutes.

_____

5 She has been listening to music for two hours.

_____

3 These sentences feature separable verbs in the present tense. Rewrite them in the perfect tense.

Grammatik
Separable verbs include both a **verb** and a prefix (the separable part), e.g. *ab**stimmen***.

In the perfect tense, this is how to form the past participle:
*Die Fans haben ab**gestimmt***.
The fans voted.

1 Die Fans stimmen ab. _Die Fans haben abgestimmt._

2 Ich lerne Nena kennen.

3 Wir probieren ein neues Café aus.

4 Mein Vater nimmt an einem Marathonlauf teil.

5 Ich ziehe meinen neuen Pullover an.

1 Record your levels for *Kapitel* 2.

2 Look at the level descriptors on pages 57–58 and set your targets for *Kapitel* 3.

3 Fill in what you need to do to achieve these targets.

Listening	I have reached Level _____ in **Listening**. In *Kapitel* 3, I want to reach Level _____ I need to _____ _____ _____ _____
Speaking Hallo!	I have reached Level _____ in **Speaking**. In *Kapitel* 3, I want to reach Level _____ I need to _____ _____ _____ _____
Reading	I have reached Level _____ in **Reading**. In *Kapitel* 3, I want to reach Level _____ I need to _____ _____ _____ _____
Writing	I have reached Level _____ in **Writing**. In *Kapitel* 3, I want to reach Level _____ I need to _____ _____ _____ _____

Wörter

Musikarten • Types of music

Ich höre gern …	I like listening to …
Ich höre nicht gern …	I don't like listening to …
Ich höre nie …	I never listen to …
R&B-Musik	R&B music
Jazzmusik	jazz
Weltmusik	world music
Heavy Metal-Musik	heavy metal
Rap-Musik	rap
Hip-Hop	hip-hop
Dance-Musik	dance music
Popmusik	pop music
Rockmusik	rock music
Klassische Musik	classical music

Wie ist die Musik? • What is the music like?

Sie ist …	It is …
toll	great
fantastisch	fantastic
originell	original
melodisch	tuneful
energiegeladen	full of energy
kreativ	creative
poetisch	poetic
unterhaltsam	entertaining
stark	strong
sentimental	sentimental
aggressiv	aggressive
zu laut	too loud
altmodisch	outdated
kitschig	corny
deprimierend	depressing
monoton	monotonous
Sie macht gute/ schlechte Laune.	It puts you in a good/ bad mood.
Sie klingt positiv/ negativ.	It sounds positive/ negative.

Wer ist dein(e) Lieblings…? • Who is your favourite …?

Mein Lieblingssänger ist …	My favourite singer is …
Meine Lieblingssängerin ist …	My favourite singer (female) is …
Meine Lieblingsband ist …	My favourite band is …
Ich finde ihn/sie/es …	I find him/her/it …
Ihre Lieder sind …	Their songs are …
Die Melodien sind …	The tunes are …

Instrumente • Instruments

das Keyboard(–s)	keyboard
das Klavier(–e)	piano
das Saxofon(–e)	saxophone
das Schlagzeug	drums
die Gitarre(–n)	guitar
die Geige(–n)	violin
die Trompete(–n)	trumpet
die Klarinette(–n)	clarinet
Ich spiele kein Instrument.	I don't play an instrument.
Ich singe.	I sing.

Seit wann spielst du? • How long have you been playing?

Ich spiele …	I've been playing …
seit drei Jahren	for three years
seit sechs Monaten	for six months
seit der Grundschule	since primary school

Wie oft spielst du?
• How often do you play?

Ich spiele ...	I play ...
jeden Tag	every day
einmal pro Woche	once a week
am Wochenende	at the weekend
ab und zu	now and then

Wo spielst du?
• Where do you play?

Ich spiele ...	I play ...
zu Hause	at home
in der Schule	at school
in der Garage	in the garage
in einer Band	in a band
im Musikraum	in the music room
im Schulchor	in the school choir
im Schulorchester	in the school orchestra
im Musikunterricht	in the music lesson
in meinem Zimmer	in my room

Oft benutzte Wörter
• High-frequency words

noch	still
noch nicht	not yet
noch mal	again
nicht besonders	not particularly
gestern	yesterday
dieses Jahr	this year
gleich	same
einfach	simply/easy
leider	unfortunately
Welche(r/s)?	Which?
Was für?	What type/What sort of ...?
Woher?	Where ... from?
Warum?	Why?

Wie findest du die Band?
• What do you think of the band?

Ich finde sie ...	I find them ...
dynamisch	dynamic
selbstbewusst	confident
begabt	talented
locker	laid-back
alternativ	alternative
modisch	stylish
schlecht	bad
Sie sehen ... aus	They look ...
Ihre Musik ist ...	Their music is ...
Die Musik war melodischer.	The music was more tuneful.
Sie haben lauter gesungen/gespielt.	They sung/played louder.

Was hast du auf dem Festival gemacht?
• What did you do at the festival?

Ich habe ...	I ...
coole Bands gesehen	saw cool bands
tolle Aktivitäten gemacht	did great activities
an einem Zirkus-Workshop teilgenommen (teilnehmen)	took part in a circus workshop (to take part)
neue Freunde kennengelernt (kennenlernen)	met new friends (to meet)
Stiefel angezogen (anziehen)	put boots on (to put on)
ein neues Café ausprobiert (ausprobieren)	tried out a new café (to try out)
exotisches Essen gegessen	ate exotic food
Karottensaft getrunken	drank carrot juice

1 Wahnsinn! (Seite 54–55)

1   Read the blog and then number the pictures in the order in which they are mentioned.

> **in Not** = in need
> **mitbringen** = bring along
> **Tiere** = animals

A IST FÜR ABENTEUER, B IST FÜR BOTSWANA!

Ich bin ziemlich abenteuerlustig und gar nicht ängstlich. Ich würde nicht zum Mond fliegen, weil ich nicht dumm bin, aber ich würde gern nach Botswana in Afrika fliegen. Dort würde ich Menschen in Not helfen. Wir würden Medikamente, Essen und Wasser für kleine Kinder mitbringen. Letztes Jahr habe ich schon für eine Organisation in Deutschland gearbeitet: Hilfe für Afrika. Das hat mich wirklich inspiriert.

In Afrika würde ich bestimmt Kakerlaken essen. Ich würde vielleicht auch in der Wüste Rad fahren! Aber mit Tieren würde ich vorsichtig sein. Ich bin nicht verrückt, also würde ich nicht mit Tigern spielen und auch nicht mit Krokodilen schwimmen! **Imke**

Botswana

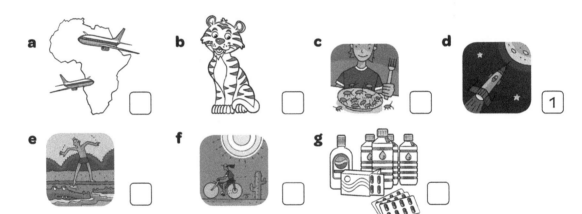

a   b   c   d   `1`

e   f   g

2   Read the text again and then decide whether each of these sentences is true (✔) or false (✗).

1   Imke ist ziemlich feige.

2   Sie würde gern Kindern in Afrika helfen.

3   Nächstes Jahr wird sie für eine Organisation in Deutschland arbeiten.

4   Imke würde Kakerlaken essen.

5   Sie würde durch eine Wüste joggen.

6   In Afrika würde sie gern mit Tieren spielen.

3   Write some sentences of your own about what you and some other people would or wouldn't do. Include reasons. Have fun with it!

Meine Schwester würde nie mit Krokodilen schwimmen, weil sie zu ängstlich ist!

2 Mein Job (Seite 56–57)

1 **Read the text and the English statements below. Decide who each statement refers to and write their initial: L (Latifa), C (Carla) or M (Martin).**

> **Latifa**: Meine Freunde und ich haben alle einen Job. Ich arbeite, um Geld für meine Hobbys zu verdienen. Ich arbeite als Babysitterin, weil ich Kinder mag, aber es ist manchmal extrem langweilig. Ich würde gern nach Frankreich fahren, weil ich gern Französisch spreche. Vielleicht würde ich bei einer französischen Familie arbeiten.
>
> Meine Freundin **Carla** arbeitet seit zwei Monaten in einem Restaurant, um kochen zu lernen und Erfahrung zu bekommen. Später möchte sie ein eigenes Restaurant haben.
>
> **Martin** arbeitet in einem Supermarkt an der Kasse, um selbstständiger zu werden. Er findet die Arbeit aber schwierig und würde den Job nicht empfehlen.

1 wants to learn about catering ☐	**5** works at a checkout ☐
2 would work in a French family ☐	**6** wouldn't recommend his/her job ☐
3 wants to be more independent ☐	**7** works to earn money for hobbies ☐
4 sometimes gets very bored ☐	**8** has had his/her job for two months ☐

2 **Join the pairs of sentences together, using an *um … zu …* construction.**

1 Ich gehe ins Café. Ich esse Kuchen.

Ich gehe ins Café, um Kuchen zu essen.

2 Man spielt am Computer. Man hat Spaß.

_____

3 Ich habe einen Job. Ich werde selbständiger.

_____

4 Ergül hat einen Job. Er verdient Geld.

_____

5 Birgit arbeitet als Babysitterin. Sie bekommt Erfahrung.

_____

> **Grammatik**
> *Um … zu …* ('in order to') is used with an infinitive, which goes at the end of the sentence. There is usually a comma before *um*.

3 **What sort of part-time job would you like and why? Write a few sentences.**

Ich würde gern als Bademeister(in) arbeiten, um Geld zu verdienen und Leute

kennenzulernen. Das würde Spaß machen, weil ich sehr gern schwimme.

1 Join the pairs of sentences together, using the connectives and sequencers given in brackets.

> ### Grammatik
> Remember to put the verb second after words like *dann* and *später*.
> Ich **möchte** im Ausland arbeiten. ➜ Später **möchte** ich im Ausland arbeiten.

1 Ich möchte heiraten. Ich möchte Kinder haben. (und dann)

Ich möchte heiraten und dann möchte ich Kinder haben.

2 Ich würde gern um die Welt reisen. Ich möchte Lehrerin werden. (aber später)

_____

3 Ich würde gern viel Geld haben. Ich möchte ein eine Yacht kaufen. (und dann)

_____

4 Ich möchte Französisch lernen. Ich möchte in Frankreich arbeiten. (und später)

_____

5 Ich möchte auf die Filmschule gehen. Ich würde gern Filme machen. (und danach)

_____

6 Ich möchte Pilot werden. Ich möchte auf die Uni gehen. (aber zuerst)

_____

2 Read the skills box and improve the passage below, using as many of the suggestions as possible.

> Ich bin sehr abenteuerlustig. Ich würde gern um die Welt reisen. Ich möchte neue Leute kennenlernen. Ich würde gern Medizin studieren. Ich will Arzt werden. Ich will nicht reich werden. Ich möchte heiraten. Ich möchte Kinder haben. Meine Kinder würden gern Sport treiben. Sie würden für Deutschland spielen!

- Use connectives like *und* and *aber* to join sentences together.
- Use sequencers like *zuerst* and *später* to add more detail.
- Try to use at least one *weil* clause to give a reason.
- See if you can include an *um ... zu ...* clause as well.
- Add in any extra details and opinions that you'd like to.

4 Im Skiort (Seite 60–61)

1 Work out what German words are missing and write them in the grid. What is the mystery word (in the tinted squares)?

1 Der Mount Everest ist ein …
2 Das Hilton ist ein …
3 Man geht zum … , um Skier zu mieten.
4 Man läuft Ski auf der …
5 Man kann schwimmen und in die Sauna gehen im …bereich .
6 Man trinkt und isst im …
7 Man kauft Souvenirs im Souvenir…
8 Man lernt Skilaufen in der …
9 Kleine Kinder bleiben in der …

The mystery word is _____ . It means _____ .

2 Read about Klaus and answer the questions in English.

Ich arbeite in der Skihütte „Alpenblick" in Wengen, um Geld zu verdienen. Die Hütte liegt oben auf dem Berg. Mittags kommen ganz viele Skiläufer in die Hütte, um zu essen. Morgens um neun gehe ich in die Küche, um zu kochen und ich bleibe in der Küche bis nachmittags um fünf. Montags arbeite ich nicht. Dann gehe ich auf die Piste und fahre Ski – natürlich! Am Abend gehe ich dann in die Stadt und ich gehe manchmal ins Kino. Ab und zu esse ich im Restaurant in der Stadt. Ich möchte später Koch werden, vielleicht in Berlin!

Klaus

1 Where exactly does Klaus work? _____
2 When is the busy time and why? _____
3 What are his normal working hours? _____
4 What does he do on his day off? Give details. _____
_____
5 What are his plans for the future? _____

3 Look back at the text in exercise 2. Put a <u>straight line</u> under all the prepositions used with the word for 'the' in the **accusative** (meaning 'into' or 'onto'). Put a <u>wiggly line</u> under all the prepositions used with the word for 'the' in the **dative** (meaning 'in' or 'on').

4 Now translate all the phrases you have underlined.

in the ski hut, on the mountain, into the hut …

1 **Read the text about Paula Modersohn-Becker.**

The text might contain some words you are not familiar with, but don't be put off. You don't need to understand every word, and exercise 2 will help you with the gist.

gezogen = moved
krank = ill

Paula Modersohn-Becker

In Worpswede, in der Nähe von Bremen, kann man überall den Einfluss der Künstlerin Paula Modersohn-Becker sehen. Worpswede ist eine Künstlerkolonie. Das heißt, dort leben und arbeiten viele Künstler.

Paula Becker ist am 8. Februar 1876 in Dresden geboren. 1888 ist Paulas Familie nach Bremen gezogen. In Bremen hat sie einen Künstler aus Worpswede, Otto Modersohn, kennengelernt. Paula hat Otto geheiratet. Paulas Tochter Mathilde ist 1907 geboren, aber leider ist Paula krank geworden. Neunzehn Tage nach Mathildes Geburt ist Paula im Alter von 31 Jahren gestorben.

Paula war, wie Picasso und Matisse, Expressionistin. Hier sehen wir ein Beispiel für Paulas Kunst. Ihre Kunst ist einfach aber romantisch. Das Bild „Mädchen mit Kaninchen" (1905) kann man heute in einem Museum in Wuppertal sehen.

6 Ich möchte Malerin werden (Seite 64–65)

2 **Number the topics (a–g) in the order in which you read about them in the text.**

a   where you can see the painting 'Girl with Rabbit'   ☐ _____

b   when Paula's daughter was born   ☐ _____

c   when Paula was born   ☐ _____

d   who Paula married and where   ☐ _____

e   where Worpswede is   [1]   *near Bremen*

f   when Paula died   ☐ _____

g   what type of painter Paula was   ☐ _____

3 **Now note the relevant details from the text next to each of the topics in exercise 2.**

4 **In German, words are often added to or adapted to make other words. In the text, find three words based on the word *Kunst* and work out their meanings.**

_____

_____

_____

5 **Now find the German equivalents of the following words in the text.**

1 influence   _____

2 unfortunately   _____

3 birth   _____

4 example   _____

5 married   _____

6 died   _____

Wiederholung

1 Read the text and tick the correct answer to each question.

Was für Ambitionen haben die deutschen Jugendlichen heute?

Hier sind die Ergebnisse einer Umfrage.

Nur zehn Prozent aller deutschen Teenager möchten reich werden und zwanzig Prozent möchten berühmt werden. Erfolgreich zu sein, ist viel wichtiger. Siebzig Prozent der Jugendlichen würden gern einen guten Job haben. Viele Jugendliche möchten im IT Sektor arbeiten. Fünfzig Prozent wollen auf die Uni gehen. Vierzig Prozent der Jugendlichen würden gern in Afrika oder Südamerika arbeiten, um Menschen in Not zu helfen. Und heiraten und Kinder haben? Das möchten fünfundsiebzig Prozent. Achtzig Prozent wollen viele Freunde haben und hundert Prozent wollen glücklich sein. Das ist sehr wichtig für alle!

die Ergebnisse = results
eine Umfrage = a survey
glücklich = happy

1 What percentage of young Germans want to become famous?

  a 10%☐ **b** 15%☐ **c** 20%☐

2 What type of job is a popular one?

  a medicine ☐
  b IT ☐
  c politics ☐

3 What proportion of the teenagers want to go to university?

  a a quarter ☐
  b half ☐
  c three quarters ☐

4 What percentage of them want to help people in need abroad?

  a 40%☐ **b** 50%☐ **c** 60%☐

5 75% of the teenagers want to …

  a marry and have children ☐
  b have lots of friends ☐
  c become rich ☐

6 What do all the teenagers want?

  a to be successful ☐
  b to go travelling ☐
  c to be happy ☐

2 Imagine you do one of the jobs below. Use the prompts to write a paragraph.

Job: Hundeausführer(in)

seit: zwei Monaten

Charakter: freundlich, nicht faul

warum? Geld verdienen, selbständiger werden

später: auf die Uni gehen, heiraten (vielleicht)

Job: Snowboardlehrer(in)

seit: Januar

Charakter: abenteuerlustig, ein bisschen verrückt

warum? Spaß haben, Leute kennenlernen

später: um die Welt reisen, berühmt werden

Grammatik (Seite 68–69)

1 Use the first two parts in each line to form a conditional phrase. Then combine them with the third part using *um ... zu ...* to give the reason.

1 [Ich]   [nach Afrika fahren]   [Menschen helfen]

Ich würde nach Afrika fahren, um Menschen zu helfen.

2 [Wir]   [schwimmen gehen]   [fit werden]

_____

3 [Quentin]   [in einem Geschäft arbeiten]   [Geld verdienen]

_____

4 [Ich]   [ins Sportzentrum gehen]   [trainieren]

_____

5 [Sie (plural)]   [Geld verdienen]   [ein Auto kaufen]

_____

6 [Ich]   [ins Kino gehen]   [einen Film sehen]

_____

7 [Sophie]   [ins Restaurant gehen]   [Fisch essen]

_____

2 Complete the sentences with the correct form of 'the'.

1 Das Auto ist auf _____ Straße (F).

2 Das Steak liegt auf _____ Teller (M).

3 Wir gehen in _____ Stadt (F).

4 Dann gehen wir i_____ Sportzentrum (N).

5 Mutti arbeitet in _____ Bibliothek (F).

6 Morgen gehen wir auf _____ Berg (M).

7 Warst du gestern i_____ Schwimmbad (N)?

8 Nein, ich bin in _____ Bibliothek (F) gegangen.

> Remember, ***in dem*** is shortened to ***im*** and ***in das*** is shortened to ***ins***.

Grammatik

	dative		accusative	
masculine	in **dem**	auf **dem**	in **den**	auf **den**
feminine	in **der**	auf **der**	in **die**	auf **die**
neuter	in **dem**	auf **dem**	in **das**	auf **das**
plural	in **den**	auf **den**	in **die**	auf **die**

Mein Fortschritt

1 Record your levels for *Kapitel* 3.

2 Look at the level descriptors on pages 57–58 and set your targets for *Kapitel* 4.

3 Fill in what you need to do to achieve these targets.

Listening	I have reached Level _____ in **Listening**. In *Kapitel* 4, I want to reach Level _____ I need to _____ _____ _____ _____
Speaking Hallo!	I have reached Level _____ in **Speaking**. In *Kapitel* 4, I want to reach Level _____ I need to _____ _____ _____ _____
Reading	I have reached Level _____ in **Reading**. In *Kapitel* 4, I want to reach Level _____ I need to _____ _____ _____ _____
Writing	I have reached Level _____ in **Writing**. In *Kapitel* 4, I want to reach Level _____ I need to _____ _____ _____ _____

Wie bist du? • What are you like?

Ich bin ...	I am ...
abenteuerlustig	adventurous
kühn	daring
mutig	brave
ängstlich	fearful
feige	cowardly
verrückt	mad/crazy
vorsichtig	cautious

Würdest du ... ? • Would you ... ?

Ich würde ...	I would ...
nie	never
vielleicht	maybe
bestimmt	definitely
mit Haifischen schwimmen	swim with sharks
Extrembügeln machen	do extreme ironing
Fallschirm springen	do parachute jumping
zum Mond fliegen	fly to the moon
Kakerlaken essen	eat cockroaches
den Mount Everest besteigen	climb Mount Everest
Zorbing machen	do zorbing
durch eine Wüste joggen	jog through a desert
in der Wüste Rad fahren	cycle in the desert
Brennnesseln essen	eat stinging nettles
mit Krokodilen schwimmen	swim with crocodiles
zum Mars fliegen	fly to Mars
Ich würde mich gut vorbereiten.	I would prepare myself well.

Warum möchtest du einen Job haben? • Why would you like to have a job?

Ich möchte einen Job haben, ...	I'd like to have a job, ...
um Geld zu verdienen	(in order) to earn money
um Erfahrung zu bekommen	(in order) to gain experience
um meinen Lebenslauf zu verbessern	(in order) to improve my CV
um selbstständiger zu werden	(in order) to become more independent
um Spaß zu haben	(in order) to have fun
um Leute kennenzulernen	(in order) to get to know people

Was für einen Job möchtest du? • What type of job would you like?

Ich möchte ... arbeiten	I would like to work ...
als Zeitungsausträger(in)	as a newspaper delivery boy (girl)
als Babysitter(in)	as a babysitter
als Bademeister(in)	as a lifeguard
als Trainer(in)	as a coach
als Kellner(in)	as a waiter (waitress)
als Hundeausführer(in)	as a dog walker
in einem Café oder Restaurant	in a café or restaurant

Stimmt! 3 Rot © Pearson Education Limited 2015

Hast du einen Job? • Do you have a job?

Was für einen Job hast du?	*What kind of job do you have?*
Ich arbeite als Trainer.	*I work as a coach.*
Seit wann arbeitest du?	*How long have you been working?*
Ich arbeite seit ...	*I've been working for ...*
sechs Monaten.	*six months.*
einem Jahr.	*one year.*
Magst du den Job?	*Do you like the job?*
Ich mag den Job, weil ...	*I like the job, because ...*

Was würdest du gern machen? • What would you like to do?

Ich würde gern ...	*I would like ...*
Fußballprofi werden	*to become a footballer*
Schauspieler(in) werden	*to become an actor (actress)*
Sänger(in) werden	*to become a singer*
viel Geld verdienen	*to earn lots of money*
heiraten	*to get married*
Kinder haben	*to have children*
auf die Uni gehen	*to go to uni*
Fremdsprachen studieren	*to study languages*
auf Tournee gehen	*to go on tour*
berühmt sein	*to be famous*
reich sein	*to be rich*
für Oxfam arbeiten	*to work for Oxfam*
um die Welt reisen	*to travel round the world*
im Ausland leben	*to live abroad*
ein schnelles Auto kaufen	*to buy a fast car*

Im Skiort • In the ski resort

das Café(s)	*café*
das Restaurant(s)	*restaurant*
das Hotel(s)	*hotel*
die Skischule(n)	*ski school*
das Souvenirgeschäft(e)	*souvenir shop*
der Skiverleih	*ski hire*
die Kinderkrippe(n)	*crèche*
der Berg(e)	*mountain*
der Gletscher(–)	*glacier*
die Piste(n)	*ski run*
der Wellnessbereich(e)	*spa*
Im Winter/Im Sommer	*In winter/In summer*
In den Ferien	*In the holidays*
... arbeite ich als Skilehrer/ Küchenhilfe.	*... I work as a ski instructor/ kitchen help.*
Ich würde gern Skilehrer werden.	*I would like to become a ski instructor.*

Oft benutzte Wörter • High-frequency words

zuerst	*first of all*
dann	*then*
danach	*afterwards*
später	*later*
in einem Jahr	*in one year*
in drei Jahren	*in three years*
seit	*since/for*
hier	*here*
dort	*there*
gar nicht	*not at all*
in	*in/into*
auf	*on/onto*
extrem	*extremely*
gefährlich	*dangerous*
Wahnsinn!	*madness!*

1 Meine Kindheit (Seite 76–77)

1 Use *als* to join the pairs of sentences.
Follow the example.

1 Ich war drei Jahre alt. Ich hatte ein Kuscheltier.

   Als ich drei Jahre alt war, hatte ich ein Kuscheltier.

2 Ich war im Kindergarten. Ich hatte kein Handy.

   _____

3 Sandra war vier Jahre alt. Ihr Lieblingstier war ihr Hamster.

   _____

4 Ich war jünger. Ich bin in den Kindergarten gegangen.

   _____

5 Veronika war klein. Sie hat immer gelacht.

   _____

6 Mein Vater war jung. Er hat Klavier gespielt.

   _____

2 Number the lines in the correct order and then copy out the text.

Tag Klavier gespielt. Jetzt spiele ich auch Klavier! Als	☐
Als ich ein kleines Baby war,	1
hat meine Mutter viele Kinderlieder gesungen. Jetzt	☐
war, hatte ich eine tolle	☐
die Sendung „Pippi Langstrumpf" gesehen. Das war	☐
singe ich jeden Tag! Als ich in der Schule	☐
Lehrerin, Frau Schlüter. Sie hat jeden	☐
ich acht Jahre alt war, habe ich immer im Fernsehen	☐
meine Lieblingssendung.	☐

Jutta Jensen, Sängerin

3 Complete the notes about Jutta Jensen in English.

What her mother sang to her: _____

Name of the great teacher she had: _____

Instrument her teacher played and Jutta plays now: _____

Her favourite TV show as a child: _____

How old she was when she loved it: _____

1 Read the forum entries and then create sentences in English by connecting the three columns. Draw a circle around 'could' or 'couldn't' for each activity.

Was für ein Kind warst du?

 Ich war ein tolles Baby! Mit elf Monaten konnte ich laufen und mit vierzehn Monaten konnte ich sprechen. Mit sieben Jahren konnte ich aber nicht lesen! **Claudia**

 Du spinnst wohl! Ich glaube, mit fünf Jahren konnte ich Rad fahren. Mit zwei Jahren konnte ich bis zwanzig zählen. Mit welchem Alter konntest du bis 100 zählen? **David**

 Mit drei Jahren konnte ich bis 100 zählen. Das ist sehr früh! Aber mit acht Jahren konnte ich nicht schwimmen. Meine Freunde konnten alle schwimmen, aber ich nicht! **Bastian**

At the age of five		could / couldn't read.
At the age of eight	**Claudia**	could / couldn't walk.
At the age of two		could / couldn't swim.
At fourteen months	**David**	could / couldn't count to 20.
At the age of seven		could / couldn't talk.
At eleven months	**Bastian**	could / couldn't count to 100.
At the age of three		could / couldn't ride a bike.

2 Complete the text with the correct modal verbs from the cloud.

Als ich in der Schule war, waren die Lehrer ziemlich streng. Wir **1** _____

immer pünktlich sein und ich **2** _____ jeden Tag Hausaufgaben

machen. Wir **3** _____ nur in der Pause essen und trinken.

Man **4** _____ immer zuhören und wir **5** _____ nicht

laut sein. Mit zwölf Jahren **6** _____ ich alleine mit dem Rad nach

Hause fahren. Das war gut!

zuhören = to listen

musste   durfte

mussten

musste   durften

musste   durften

 ich musste = I had to
ich durfte = I was allowed to
ich durfte nicht = I wasn't allowed to

1 Read the text and the statements below. Are they true of primary school (P) or secondary school (S)? Circle the correct answer.

Sabine Möller war früher Lehrerin an einer Grundschule, aber jetzt arbeitet sie an einer Sekundarschule.

„In der Grundschule waren die Kinder klein, aber hier in der Sekundarschule sind sie natürlich größer. Die Grundschule hatte nur 300 Schüler, aber die Sekundarschule hat 1200 Schüler und sie sind viel lauter! Die Lehrer und Lehrerinnen hier sind nicht immer freundlich. In der Grundschule waren sie freundlicher. Aber hier in der Sekundarschule sind die Schüler fleißiger. Sie haben viele Hausaufgaben. In der Grundschule war die Disziplin besser. Die Schüler durften im Unterricht nicht mit den anderen Schülern sprechen. Die Schüler mussten in einem Klassenzimmer bleiben und das war gut. Hier in der Sekundarschule müssen sie das Klassenzimmer wechseln und sie sind nicht sehr pünktlich!"

fleißig = hard working

1	Smaller children	P / S	**4**	Friendlier teachers	P / S
2	More pupils	P / S	**5**	Harder-working children	P / S
3	Noisier pupils	P / S	**6**	Having to change classrooms	P / S

2 Complete the sentences with the superlative forms.

1 Ali und Klaus waren musikalisch, aber Otto war

der _____ .

2 Sofia und Freja waren intelligent, aber ich war

der/die _____ .

3 Herr Müller und Frau Groß waren streng, aber

Frau Hassan war die _____ .

4 Heidi und Ulla waren frech, aber Miriam war die _____ .

5 Inga und Sascha waren ungepflegt, aber Indra war die _____ .

Grammatik

The **superlative**:

freundlich → der/die Freundlichste

laut → der/die Lauteste

alt → der/die Älteste

3 How do your primary and secondary schools compare? Write a short paragraph. You can borrow some phrases from the text in exercise 1.

In der Grundschule
- Die Schule hatte ... Schüler.
- Die Lehrer waren ...
- Wir durften (nicht) ...
- Wir mussten ...

In der Sekundarschule
- Die Schule hat ... Schüler.
- Die Lehrer sind ...
- Wir dürfen (nicht) ...
- Wir müssen ...

4 Es war einmal... (Seite 82–83)

1 Read the text about the Brothers Grimm. Underline all 12 imperfect tense verbs in the text and write down their English meanings.

Was weißt du über die Brüder Jacob und Wilhelm Grimm?

Jacob Grimm (geboren Januar 1785) <u>war</u> der ältere Bruder von Wilhelm (geboren Februar 1786).

Sie <u>wohnten</u> in Kassel, in Deutschland, und später arbeiteten sie in Marburg, Göttingen und Berlin.

Als sie klein waren, starb der Vater (Philipp Grimm). Die Familie hatte nicht viel Geld. Die zwei Brüder mussten in die Schule gehen, um zu lernen und um später Geld zu verdienen.

Nach der Schule studierten Jacob und Wilhelm an der Universität Marburg. Dort fanden sie die deutsche Sprache und die deutschen Märchen besonders interessant. Sie wollten diese Märchen sammeln und aufschreiben. Und das machten sie!

Zwischen 1812 und 1858 schrieben die Brüder Grimm über 200 Märchen auf, zum Beispiel „Rapunzel", „Aschenputtel", „Hänsel und Gretel" und „Schneewittchen".

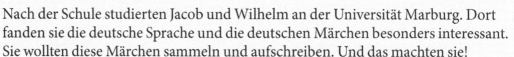

> **starb (sterben)** = died (to die)
> **sammeln** = to collect
> **aufschreiben** = to write down

_was, lived_____

_____

2 Read the text again and answer the questions in English.

1 Which brother was older? _____

2 Where did they live first? _____

3 What happened when they were young? _____

4 What did they find interesting at university? _____

5 How many fairy tales did they write down? _____

3 Complete the sentences by writing the correct imperfect verb form in each gap. Look at page 43 if you need to check the endings of regular and irregular verbs in the imperfect tense.

1 Als ich klein _____, _____ ich in München. (was, lived)

2 Wir _____ das Märchen gut. (found)

3 Ich _____ einen Aufsatz über Märchen. (wrote)   **der Aufsatz** = essay

4 Mein Vater _____ in einem Büro. (worked)

5 Er _____ an der Universität Münster. (studied)

1 Read the story (it's made up!) and fill in the gaps in the English translation.

MAGDA UND DER RING

Es war einmal ein kleines Mädchen in Bayern. Sie hieß Magda. Magda wohnte zusammen mit ihrer Mutter. Sie hatte keine Geschwister. Samstags musste Magda in die Stadt gehen, um Brot zu kaufen. Die Mutter gab Magda immer das Geld.

An einem Samstag ging Magda in die Stadt und sah einen alten Bettler auf der Straße. Er war sehr schmutzig. „Hilfe", sagte der Bettler. „Ich habe nichts zu essen oder zu trinken." Magda konnte ihn nicht ignorieren. Sie gab dem Bettler das Geld für das Brot. „Meine Mutter wird böse sein", dachte Magda. Aber der Bettler gab Magda einen silbernen Ring. „Geh nach Hause", sagte er.

Am Abend kam Magda nach Hause. „Wo ist das Brot?" fragte die wütende Mutter. „Ich habe kein Brot", antwortete Magda. „Ich habe nur diesen Ring." Da war die Mutter nicht mehr wütend! „Das ist der Ring von meinem Vater!", sagte sie. „Er hat den Ring verloren, als ich jung war. Das ist wichtiger als Brot." Ende gut, alles gut!

> **der Bettler** = beggar
> **schmutzig** = dirty
> **silbern** = silver
> **wütend** = angry

Once upon a time in Bavaria there was a **1** _little girl_ .

She **2** _____ Magda. Magda lived with her mother. She had

no **3** _____ . On Saturdays, Magda had to go into town

to buy **4** _____ . Her mother always gave her the money.

One Saturday Magda went into town and she saw an **5** _____

beggar **6** _____ . He was very dirty. 'Help,' said the

beggar. 'I don't have anything **7** _____ .' Madga

8 _____ ignore him. She gave the beggar the money for the bread.

'My mother **9** _____ angry,' thought Magda. But the beggar gave

Magda a silver ring. **10** '_____ ,' he said.

In the **11** _____ , Magda came home. 'Where is the bread?'

12 _____ the angry mother. 'I don't have any bread,' answered

Magda. 'I only have this ring.' Then the mother wasn't angry at all! 'That's my

13 _____ ring!' she said. 'He lost it when I was **14** _____ .

It is **15** _____ than bread.' All's well that ends well!

Stimmt! 3 Rot © Pearson Education Limited 2015

2 **You are going to write your own story in German.**

  a Think about the characters you'd like for your story. Choose at least two nouns and some adjectives you could use to describe them.

ein (junger) Vampir ein (frecher) Junge ein (dummer) König	eine (alte) Dame eine (schöne) Prinzessin eine (gemeine) Hexe	ein (intelligentes) Mädchen ein (treues) Pferd ein (kleines) Baby

 You can use the adjectives you already know, or look up some new ones in a dictionary. Remember to make them agree like the examples here.

_____   _____   _____

  b Where would you like your story to be set? Here are some ideas. Choose your own place.

auf einer Insel	in England	im Wald	in der Wüste	in Japan

_____

  c What is the background to your story? Write a few sentences using the prompts.

Er/Sie wohnte mit ... Er/Sie hatte ...	Er/Sie musste ... (+ infinitive) Er/Sie konnte ... (+ infinitive)	Er/Sie wollte ... (+ infinitive)

_____

_____

_____

  d What do you want to happen in the story? Pick out some verbs in the imperfect tense from the text in exercise 1 to use in your own writing.

_____

_____

_____

3 **Now put all your elements together and write out your story.**

  • Choose a beginning and an end in fairy-tale style.
  • If you need a verb you don't know, use a dictionary to help you.
  • Keep it simple; that's what fairy tales are like!

5 Erzähl mir was! (Seite 86–87)

1 Read the news article. Write the correct infinitive next to each imperfect tense verb. Then write the English meanings. Use a dictionary if you need to.

 You will find some new imperfect-tense verbs in this article. To look any of them up in a dictionary, you will need to know the infinitive form.

EINBRECHER VERHAFTET

Letzten Samstag fuhr Jürgen Krug (20 Jahre) nach Bremen, um den neuen Computer von seiner Großmutter zu stehlen.

Er wusste, dass die Großmutter im Urlaub in Spanien war. Herr Krug hatte Probleme mit Drogen und brauchte Geld.

Er brach in das Haus ein und nahm den Computer an sich, aber plötzlich hörte er ein Geräusch. Die

kleine Katze von seiner Großmutter war nicht in Spanien! Sie war auf dem Fußboden und Krug trat auf die Katze. Die Katze schrie sehr laut und Krug lief schnell aus dem Haus.

Vor der Tür stand ein Polizeiwagen. Der Polizist sah den dummen Einbrecher mit dem Laptop unter dem Arm und verhaftete ihn.

Krug musste für sechs Monate ins Gefängnis gehen.

---

1 fuhr	_fahren_	_went/travelled_	
2 wusste	_____	_____	
3 brauchte	_____	_____	
4 brach ... ein	_____	_____	
5 nahm	_____	_____	

6 trat	_____	_____	
7 schrie	_____	_____	
8 lief	_____	_____	
9 stand	_____	_____	
10 verhaftete	_____	_____	

wissen *verhaften* *laufen* *~~fahren~~* *treten* *brauchen* *stehen*
nehmen *schreien* *einbrechen*

2 Find the German for the following words in the news article.

1 to steal _____

2 suddenly _____

3 noise _____

4 floor _____

5 burglar _____

6 prison _____

3 Now answer these questions.

1 Why did Jürgen Krug go to Bremen? _____

2 Why did he choose to go at that particular time? _____

3 Why did he need money? _____

4 What caused him to run out of the house? _____

5 Where was the police car? _____

6 What was the punishment? _____

Wiederholung

1 **Read the text about Grandad's memories and complete the English summary.**

> Als ich jung war, gab es keine Computer. Ich musste Bücher lesen, um zu lernen. Ich konnte nicht im Internet surfen. Ich musste ins Wörterbuch gucken, um ein neues Wort zu lernen. Vielleicht war es das Wörterbuch von Jacob und Wilhelm Grimm! Nein, so alt bin ich nicht! Wir durften am Abend nicht spielen; wir mussten Hausaufgaben machen. War das besser als heute? Das weiß ich nicht, aber ich durfte allein am Abend mit dem Rad in die Stadt oder aufs Land fahren. Das war nicht gefährlich, weil es nicht so viel Verkehr gab wie heute. Meine Enkelkinder dürfen das nicht.

When Grandad was young, there weren't any **1** _____. To learn, he

2 _____ . He **3** _____ surf the internet.

To learn a new word, he **4** _____ . In the evening, they

5 _____ to play. They had to **6** _____ .

He **7** _____ to go out alone **8** _____ .

That wasn't dangerous because there was less traffic than today. His grandchildren

9 _____ to go out on their own.

2 **Write about your life compared to your grandmother's or grandfather's when they were young.**

- What did your grandparents do?
- What were they allowed and not allowed to do?
- What did they have to do?
- What are you allowed and not allowed to do?
- What do you have to do?

> - Mein Großvater/ Meine Großmutter durfte (nicht) ...
> - Er/Sie musste ...
> - Ich darf (nicht) ...
> - Ich muss ...

_____

_____

_____

_____

_____

_____

_____

_____

_____

Grammatik (Seite 90–91)

1 Link the sentence beginnings to the correct endings.

> **Grammatik**
> When you are talking about the past, use **als** to mean 'when'.

1	Als sie in Frankreich waren,	**a**	haben wir die Stadtmusikanten gesehen.
2	Als ich klein war,	**b**	hat er viel gelernt.
3	Als wir in Bremen waren,	**c**	war das Wetter schlecht.
4	Als Klaus in der Sekundarschule war,	**d**	habe ich Eis gegessen.
5	Als ich im Café war,	**e**	hatte ich eine Puppe.

2 Rewrite the sentences in the imperfect tense.

> **Grammatik**
>
> To form the imperfect tense of regular verbs, take **–en** off the infinitive, and then add the endings in **bold**, as below:
>
> **sagen (to say)**
>
> | | |
> |---|---|
> | ich sag**te** | wir sag**ten** |
> | du sag**test** | ihr sag**tet** |
> | er/sie/es sag**te** | Sie sag**ten** |
> | | sie sag**ten** |
>
> Many verbs are irregular. There is usually a vowel change in the stem and they add these endings:
>
> **gehen (to go)**
>
> | | |
> |---|---|
> | ich ging | wir ging**en** |
> | du ging**st** | ihr ging**t** |
> | er ging | Sie ging**en** |
> | | sie ging**en** |
>
> Other common **irregular** imperfect forms are **kam** (kommen), **nahm** (nehmen), **fuhr** (fahren), **sah** (sehen), **gab** (geben) and **war** (sein).

1 Er sagt „Hallo". _Er sagte „Hallo"._ _____

2 Die Fußballspieler spielen gut. _____

3 Ich mache meine Hausaufgaben. _____

4 Wir arbeiten in einem Restaurant. _____

5 Meine Schwester singt im Schulchor. _____

6 Ich gehe in die Stadt. _____

7 Das Auto fährt viel zu schnell. _____

8 Es gibt dort einen Zoo. _____

9 Er hat ein tolles Rad. _____

10 Ich sehe den alten Mann. _____

Mein Fortschritt

1 Record your levels for *Kapitel* 4.

2 Look at the level descriptors on pages 57–58 and set your targets for *Kapitel* 5.

3 Fill in what you need to do to achieve these targets.

Listening	I have reached Level _____ in **Listening**. In *Kapitel* 5, I want to reach Level _____ I need to _____
Speaking	I have reached Level _____ in **Speaking**. In *Kapitel* 5, I want to reach Level _____ I need to _____
Reading	I have reached Level _____ in **Reading**. In *Kapitel* 5, I want to reach Level _____ I need to _____
Writing	I have reached Level _____ in **Writing**. In *Kapitel* 5, I want to reach Level _____ I need to _____

Meine Kindheit • My childhood

Als ich fünf Jahre alt war, ...	When I was five years old ...
Als ich klein war, ...	When I was little ...
Als ich jünger war, ...	When I was younger ...
hatte ich ein tolles Rad.	I had a great bike.
hatte ich eine komische Mütze.	I had a funny cap.
hatte ich einen kleinen VW.	I had a small VW.
hatte ich viele Kuscheltiere und Puppen.	I had many soft toys and dolls.
war mein Teddybär mein Lieblingsspielzeug.	my teddy was my favourite toy.
mein Lieblingsessen	my favourite food
meine Lieblingssendung	my favourite programme
mein Lieblingshobby	my favourite hobby
mein Lieblingskleidungsstück	my favourite item of clothing

Erinnerungen • Memories

früher und heute	then and now
Mit welchem Alter konntest du ...?	At what age could you ...?
Mit sechs Monaten ...	At six months old ...
Mit einem Jahr ...	At one year old ...
Mit zwei Jahren ...	At two years old ...
konnte ich ...	I could ...
lächeln/laufen	smile/walk
sprechen	talk
bis 20 zählen	count to 20
meinen Namen schreiben	write my name
lesen/schwimmen	read/swim
Rad fahren	ride a bike
die Uhr lesen	tell the time

Was durftest du machen? • What were you allowed to do?

Ich durfte ...	I was allowed to ...
Ich durfte nicht ...	I was not allowed to ...
Ich musste ...	I had to ...
Ich durfte alleine in die Schule gehen.	I was allowed to go to school on my own.
Ich durfte alleine ins Kino gehen.	I was allowed to go to the cinema on my own.
Ich durfte nicht alleine in die Stadt gehen.	I was not allowed to go into town on my own.
Ich durfte (k)ein Handy haben.	I was (not) allowed to have a mobile phone.
Ich durfte keine Schokolade essen.	I was not allowed to eat chocolate.
Ich musste um 19 Uhr ins Bett gehen.	I had to go to bed at seven o'clock.
Ich musste um 18 Uhr zu Hause sein.	I had to be home by six o'clock.
Ich darf mein eigenes Handy haben.	I am allowed to have my own mobile phone.
Ich muss um 22 Uhr 30 ins Bett gehen.	I have to go to bed at half past ten.

Oft benutzte Wörter • High-frequency words

als	when
jünger	younger
hatte/hatten	had
war/waren	was/were
es gab	there was/were
musste/mussten	had to
durfte/durften	was allowed to/were allowed to
konnte/konnten	could

Wörter

Grundschule und Sekundarschule • Primary and secondary school

Wir haben viele Hausaufgaben.	We have lots of homework.
Wir hatten keine Hausaufgaben.	We had no homework
Wir müssen das Klassenzimmer wechseln.	We have to change classrooms.
Wir mussten in einem Klassenzimmer bleiben.	We had to stay in one classroom.
Es gibt ein Schwimmbad.	There's a swimming pool.
Es gab kein Schwimmbad.	There was no swimming pool.
Die Sekundarschule hat 1000 Schüler.	The secondary school has 1,000 pupils.
Die Grundschule hatte 200 Schüler.	The primary school had 200 pupils.
Wir dürfen kein Klassentier haben.	We are not allowed to have a class pet.
Wir durften einen Klassen-Hamster haben.	We were allowed to have a class hamster.
Die Lehrer und Lehrerinnen sind streng.	The teachers are strict.
Die Lehrer und Lehrerinnen waren freundlicher.	The teachers were friendlier.
Die Klassenzimmer sind größer.	The classrooms are bigger.
Die Klassenzimmer waren bunter.	The classrooms were more colourful.

Meine Klassenkameraden • My classmates

Er/Sie war der ...	He/She was the ...
Älteste/Größte	oldest/tallest
Kleinste	smallest
Intelligenteste	most intelligent
Sportlichste	sportiest
Lauteste	loudest
Musikalischste	most musical
Ungepflegteste	scruffiest
Frechste	cheekiest

Märchen • Fairy tales

Es war einmal ...	Once upon a time there was ...
ein Junge/ein Mädchen/eine Dame	a boy/a girl/a lady
das Märchen(–)	fairy tale
der Wald(¨er)	wood, forest
der König(e)/ die Königin(nen)	king/queen
der Prinz(en)/ die Prinzessin(nen)	prince/princess
der Sohn(¨e)/ die Tochter(¨)	son/daughter
der Junge(n)/ das Mädchen(–)	boy/girl
arbeitete (from arbeiten)	worked
aß (from essen)	ate
begann (from beginnen)	began
gab (from geben)	gave
ging (from gehen)	went
kam (from kommen)	came
lief (from laufen)	ran
sagte (from sagen)	said
sah (from sehen)	saw
wollte (from wollen)	wanted

Darf man das? (Seite 98–99)

1 **Read the text and fill in the table.**

JUGENDSCHUTZGESETZ

Wir haben ein Gesetz, um Jugendliche zu schützen. Zigaretten und Alkohol zum Beispiel sind ungesund und deshalb darf man in Großbritannien erst ab 18 Jahren rauchen und Alkohol trinken. Die Altersgrenzen sind in anderen Ländern aber unterschiedlich. In Luxemburg darf man ab 16 Jahren Zigaretten rauchen und in Amerika darf man erst ab 21 Jahren Alkohol trinken. In Deutschland dürfen junge Leute ab 17 Jahren ein Auto fahren, aber in Kanada darf man schon ab 16 Jahren fahren. In der Schweiz darf man ab 16 Jahren mit Einwilligung der Eltern ein Piercing haben, aber in England darf man es erst ab 18 Jahren. In Deutschland darf man erst ab 18 Jahren Paintball spielen. Wenn man in England wohnt, darf man ab 12 Jahren Paintball spielen.

schützen = to protect   **erst** = only
ungesund = unhealthy   **rauchen** = to smoke

Country	Activity	Age
UK	smoking and drinking alcohol	18

2 **Look at the final sentence of the text. Write three more sentences using *wenn*, based on the information in the article.**

_____

_____

_____

3 **Imagine that you're the President of Germany for the day. Write your own youth protection laws. What can you do when?**

Wenn man 12 Jahre alt ist, darf man …

1 Read the text and then solve the clues and fill in the grid with the names of the countries and continents (in German).

Das Wichtigste

Der ärmste Kontinent der Welt ist Afrika. In Afrika ist die Familie das Wichtigste. Der reichste Kontinent ist Europa. Asien ist der größte Kontinent, während Australien der kleinste Kontinent ist. Die wichtigsten Sachen in Asien sind oft Computer und Handys. Das glücklichste Land ist die Schweiz. Die wichtigsten Sachen in der Schweiz sind Kunst und Musik. Das sicherste Land ist Japan und das gesündeste Land ist Neuseeland. Dort ist die Umwelt das Wichtigste. Das heißeste Land der Welt ist Äthiopien. Dort erreichen die Temperaturen 63 Grad. Das kälteste Land ist Russland. Im Winter kann es bis zum minus 67 Grad kalt sein!

während = while

1 The continent where family is most important
2 The happiest country, where music is most important
3 The smallest continent
4 The largest continent, where technology is most important
5 The coldest country
6 The safest country
7 The hottest country
8 The healthiest country

2 The letters in the tinted boxes spell the name of another country. Make up a sentence about this country using a superlative adjective of your choice.

_____ ist das _____ Land.

3 How important are the following things to you? Write a sentence for each picture, giving a reason using *weil*.

1   **2**   **3**

4   **5**   **6**

… ist mir das Wichtigste, weil …

… ist mir auch wichtig, weil …

… ist mir nicht so wichtig, weil …

… ist mir gar nicht wichtig, weil …

1 Mein Handy ist mir das Wichtigste, weil ich mit meinen Freunden sprechen kann.

Ein neues Leben (Seite 102–103)

1 Read the text. **Highlight** three examples of the present tense, <u>underline</u> three examples of a past tense (perfect or imperfect) and circle three examples of the future tense.

Ich bin sechzehn Jahre alt. Als ich acht <u>war</u>, <u>haben</u> meine Eltern und ich ein neues Leben in Deutschland <u>angefangen</u>. Wir haben früher in der Türkei gewohnt.

Ich gehe noch in die Schule und ich muss jeden Tag Hausaufgaben machen. Früher konnte ich am Nachmittag mit meinen Freunden Fußball spielen, aber heute kann ich das nicht machen, weil ich keine Zeit habe. In zwei Jahren werde ich aber Mathe an der Uni studieren und gute Noten sind mir wichtig!

Als ich jünger war, habe ich viel Zeit mit meinen Großeltern verbracht, aber jetzt sehe ich sie gar nicht oft. Das finde ich schwierig. Ich vermisse auch meine türkischen Freunde. Wir fahren jeden Sommer in die Türkei, um sie zu sehen.

Aber hier in Deutschland habe ich auch viele gute Freunde kennengelernt. Nächsten Sommer werden wir eine Fahrradtour in Italien machen. Das wird ganz viel Spaß machen! *Rachid*

2 **Read the text again and answer the questions.**

1 How old is Rachid, and how old was he when he moved to Germany?

_____

2 What does he say about playing football?

_____

3 What are his plans for the future?

_____

4 What does he do every summer?

_____

5 What are his plans for next summer?

_____

3 **Write the questions to get these answers. Make sure you get the tense right.**

1 <u>Wo hast du früher gewohnt?</u>
Ich habe früher in der Türkei gewohnt.

2 _____
In zwei Jahren werde ich Mathe an der Uni studieren.

3 _____
Jeden Sommer fahre ich in die Türkei, um meine Familie und Freunde zu sehen.

4 _____
Nächsten Sommer werde ich eine Fahrradtour in Italien machen.

1 Read the text and look at the pictures. Find the phrase or sentence from the text that goes with each picture and write it out.

> Ich gehe auf die Realschule Nordstadt und wir organisieren am Samstag einen tollen „Tag für Afrika" am Marktplatz. Wir sammeln Geld, um armen Menschen in Uganda und Darfur zu helfen.
>
> Wir haben schon ganz viel gemacht, um diesen Tag zu organisieren. Wir werden Kleidung verkaufen, also haben wir Secondhandkleidung (Hosen, T-Shirts, Pullis) gesammelt. Wir waren stundenlang in der Küche, um Kuchen zu backen und wir haben auch Bücher gesammelt, um sie zu verkaufen. Toll!
>
> Hast du ein Auto? Wenn du willst, werden wir dein Auto waschen. Wir wollten ein Konzert geben, aber das durften wir nicht. Aber möchtest du an einem Benefizlauf teilnehmen? Um drei Uhr beginnt der 5 Kilometer-Mini-Marathon. Bis Samstag!

stundenlang = for hours

1 *wir haben auch Bücher gesammelt, um sie zu verkaufen*

we also collected books in order to sell them

2 _____

3 _____

4 _____

5 _____

6 _____

2 Now translate the phrases or sentences you copied out for exercise 1.

3 Read the text again. Then correct the mistake in each of the sentences below.

1 Der „Tag für Afrika" ist am Sonntag.

2 Man sammelt Geld für die Schüler.

3 Die Schüler haben Brot gebacken.

4 Es wird ein Konzert geben.

5 Beim Benefizlauf muss man fünfundzwanzig Kilometer laufen.

5 Was ist Glück? (Seite 108–109)

1 Read the article. Who says what? Write the correct name next to each statement below.

Bist du glücklich?

Was macht glücklich? Wir haben Menschen auf der Straße in Dortmund gefragt.

Geld allein macht nicht glücklich. Das weiß ich, weil mein Onkel im Lotto über hunderttausend Euro gewonnen hat. Zuerst war er glücklich, weil er ein neues Haus und ein schönes Auto kaufen konnte. Aber jetzt ist es anders. Er hatte Probleme mit seiner Frau. Jetzt ist er alleine und ist gar nicht mehr glücklich. **Katrin, 28**

Ich mache oft Radtouren mit meinen Freunden. Das macht Spaß, aber es ist sehr anstrengend. Hier in Süddeutschland gibt es viele Berge. Letztes Wochenende sind wir 75 Kilometer gefahren. Am Ende waren wir alle sehr müde, aber auch sehr glücklich, weil wir es geschafft haben. Es ist gut, fit zu sein. **Mohammed, 33**

Ich hoffe, ich werde in meinem Leben glücklich sein, aber ich bin nicht sicher. Ich möchte einen guten Job haben, vielleicht in einem Krankenhaus. Wenn wir etwas für andere Menschen machen, ist das ein sehr gutes Gefühl. Geld ist mir nicht wichtig. Man braucht keinen Computer und kein Handy, um glücklich zu sein. **Samira, 19**

Als ich jünger war, war ich sehr ehrgeizig. Ich habe in Amerika als Ingenieur gearbeitet. Ich habe viele interessante Erlebnisse gehabt und ich war ziemlich glücklich, aber ich habe meine Schwester und meine Eltern sehr vermisst. Jetzt wohne ich in der Nähe von meiner Tochter. Ich kann mit meinen Enkelkindern spielen. Ich kann sagen, das macht mich glücklich! **Toni, 62**

ein gutes Gefühl = a good feeling
brauchen = to need

ehrgeizig = ambitious

---

1 Family is the most important thing. _____

2 Accomplishing a physical challenge can make you happy. _____

3 Money alone doesn't necessarily make you happy. _____

4 Doing something for other people is very rewarding. _____

2 Translate Toni's paragraph into English.

3 What makes you happy? Write a paragraph.

- Adapt some of the sentences here and from previous texts in this chapter.
- Use the present tense and either the past or the future tense. (Or both, if you wish!)
- Use *weil* to give reasons.

Wiederholung

1 **Read the problem page letter. Then complete the English summary.**

> ## *Liebe Tante Maria,*
>
> Mein Name ist Balsan Selim und ich habe früher in der Türkei gelebt. Okay, das ist nicht mein Name. Ich will anonym bleiben, weil ich unglücklich bin. Aber das dürfen meine Fans nicht wissen.
>
> Jetzt wohne ich alleine in einer Stadt in Deutschland. Ich bin seit zwei Jahren hier, um Fußball zu spielen. Als ich jünger war, habe ich in der Türkei gespielt, aber jetzt spiele ich für eine große Mannschaft in der Bundesliga.
>
> Jeden Samstagnachmittag sehe ich Tausende Freunde und Fans, aber am Abend bin ich alleine. Ich kann nicht in Discos gehen, weil ich früh ins Bett gehen muss. Ich habe im Moment keine Freundin. Alle denken, ich bin total glücklich, aber das stimmt nicht. Meine Familie ist mir wichtig, aber sie ist zu Hause in der Türkei. Ich bin immer traurig, wenn ich an meine Familie denke. Ich habe viel Geld, aber das bringt mir kein Glück.
>
> Was kann ich tun? Werde ich immer unglücklich sein? Hilf mir bitte!
> **Dein Balsan**

Balsan is not this person's **1** _____ . He used to live in

2 _____ , but now he plays **3** _____ in **4** _____ .

He hasn't got a **5** _____ . He misses his **6** _____ .

He has plenty of **7** _____ , but that doesn't bring **8** _____ .

2 **In the text, find and write out sentences with examples of the following things.**

1 The perfect tense: _____

2 The present tense: _____

3 The future tense: _____

4 The German for 'because': _____

5 The German for 'in order to': _____

3 **Imagine that you are Balsan, six months after you wrote the letter above. Your life has changed a lot and now you are very happy! Write a short text.**

- Use the present tense to say what your life is like now.
- Use *weil* to give reasons why you are happy.
- Use the perfect and imperfect tenses to say what you have done.

Früher war ich sehr unglücklich. Ich wohnte allein in Deutschland, weit weg von

meiner Familie. Aber jetzt …

Grammatik (Seite 112–113)

1 **Add the extra details (given in brackets) to these sentences and then write them out.**

> **Grammatik**
> Remember the right order: Time (*wann?*), Manner (*wie?*), Place (*wo?*).

1 Ich habe gearbeitet. (bei Freunden / in einem Kindergarten / letzten Sommer)

_____

2 Wir organisieren ein Konzert. (in der Schule / mit unserem Lehrer / am Samstag)

_____

3 Ich habe gewohnt. (mit meiner Familie / in der Türkei / früher)

_____

4 Hans ist glücklich. (zu Hause / immer / mit seiner Familie)

_____

5 Man darf Auto fahren. (mit 18 Jahren / in Deutschland)

_____

2 **Unjumble these sentences and write them out correctly.**

> **Grammatik**
> *Wenn* ('whenever' or 'if') and *weil* ('because') send the verb to the end of the sentence or clause.

1 geht **Olli** Bett, er ins ist. müde weil

Olli _____

2 will. sind wichtig, mir ich weil schick sein **Kleider**

Kleider _____

3 geht Uni, wenn auf man **Man** die gute hat. Noten

Man _____

4 fit ist das weil Wichtigste, ich **Sport** bleiben mir will.

Sport _____

5 Österreich Jahre ist. man wenn Paintball **In** darf man 14 alt spielen,

_In_ _____

3 **Write the second half of each sentence, using *um ... zu ...***

> **Grammatik**
> *Um ... zu ...* is used with an infinitive, which goes at the end of the sentence.

1 Ich fahre Rad, _____ . (to stay fit)

2 Wir singen, _____ . (to collect donations)

3 Anja trainiert, _____ . (to do a charity run)

4 Wir treffen uns, _____ . (to organise a concert)

5 Ich sammle alte Handys, _____ . (to recycle them)

Record your levels for *Kapitel* 5.

Listening	I have reached Level _____ in **Listening**.
Speaking	I have reached Level _____ in **Speaking**.
Reading	I have reached Level _____ in **Reading**.
Writing	I have reached Level _____ in **Writing**.

Look back through your workbook and note down the level you achieved in each skill by the end of each *Kapitel*.

	Listening	Speaking	Reading	Writing
1 Vorbilder				
2 Musik				
3 Meine Ambitionen				
4 Die Kindheit				
5 Rechte und Pflichten				

You now have a record of your progress in German for the whole year.

Ab wie viel Jahren darf man das?
• From what age are you allowed to do that?

Ab … Jahren darf man …	*From … you are allowed to …*
Paintball spielen	*go paintballing*
einen Teilzeitjob haben	*have a part-time job*
einen Lottoschein kaufen	*buy a lottery ticket*
den Namen ändern	*change your name*
die Schule verlassen	*leave school*
ein Piercing haben	*have a piercing*
ein Haustier kaufen	*buy a pet*
ein Mofa fahren	*ride a moped*
ein Kind adoptieren	*adopt a child*
bis 24 Uhr in Discos oder Clubs bleiben	*be out at a disco or club until midnight*
Blut spenden	*give blood*
ohne Eltern in den Urlaub fahren	*go on holiday without your parents*
sich tätowieren lassen	*have a tattoo*
heiraten	*get married*
mit Einwilligung der Eltern	*with parental consent*
ohne Einwilligung der Eltern	*without parental consent*
Es gibt keine Altersgrenze.	*There is no age limit.*

Welches ist das glücklichste Land?
• Which is the happiest country?

das glücklichste Land	*the happiest country*
das reichste Land	*the richest country*
das sicherste Land	*the safest country*
das gesündeste Land	*the healthiest country*

Was ist dir wichtig?
• What is important to you?

… ist mir das Wichtigste.	*… is the most important thing to me.*
… ist mir wichtig.	*… is important to me.*
gute Noten	*good grades*
mein Hund	*my dog*
Schokolade	*chocolate*
ausschlafen	*to lie in*
… ist mir wichtig, weil …	*… is important to me because …*
ich alles darauf machen kann.	*I can do everything on it.*
ich Arzt werden möchte.	*I want to be a doctor.*
er/sie/es mich glücklich macht.	*it makes me happy.*
es Spaß macht.	*it's fun.*
ich fit bleiben will.	*I want to stay fit.*
er mein bester Freund ist.	*he's my best friend.*
Meine Freunde sind mir das Wichtigste.	*My friends are the most important thing to me.*
Meine Freunde sind mir wichtig.	*My friends are important to me.*
die Sicherheit	*security/safety*
die Gesundheit	*health*
die Bildung	*education*
die Umwelt	*the environment*
das Einkommen	*income*
mein Computer	*my computer*
meine Familie	*my family*
mein Handy	*my mobile phone*
mein Job	*my job*
Geld	*money*
Musik	*music*
Sport	*sport*

Stimmt! 3 Rot © Pearson Education Limited 2015

Ein neues Leben • A new life

Ich habe ein neues Leben angefangen.	*I have started a new life.*
Mein Haus hier ist ...	*My house here is ...*
Mein Haus in ... war ...	*My house in ... was ...*
Die Schule hier finde ich ...	*I find the school here ...*
Die Schule in ... war ...	*The school in ... was ...*
Früher habe ich viel Zeit mit (meiner Großmutter) verbracht.	*Before, I spent a lot of time with (my grandmother).*
Jetzt vermisse ich (meine Großmutter) sehr.	*Now, I miss (my grandmother) very much.*
Ich musste früher (zu Fuß) zur Schule gehen.	*Before, I had to go to school (by foot).*
Jetzt fahre ich (mit dem Bus) zur Schule.	*Now, I go to school (by bus).*
... ist mir wichtig.	*... is important to me.*
Hier ist jeden Tag (sonnig und heiß).	*Here, every day is (sunny and hot).*
Früher war es oft ...	*Before, it was often ...*
Nächste Woche werde ich ...	*Next week, I will ...*

Eine bessere Welt • A better world

Um die Welt zu verbessern, kann man ...	*To make the world a better place, you can ...*
ein Kind oder ein Tier sponsern	*sponsor a child or an animal*
Energie und Wasser sparen	*save energy and water*
Öko-Produkte kaufen	*buy eco-friendly products*
ehrenamtlich arbeiten	*work as a volunteer*
Spenden sammeln	*collect donations*

Briefe an die Regierung schreiben	*write letters to the government*
den Müll sortieren	*sort the rubbish*
duschen statt baden	*take a shower instead of a bath*
bunte Farben tragen	*wear colourful clothes*
das Obst und Gemüse der Saison kaufen	*buy seasonal fruit and vegetables*
Elektrogeräte ausmachen	*switch off electrical appliances*
Obst und Gemüse selbst kultivieren	*grow your own fruit and vegetables*
eine Fremdsprache lernen	*learn a foreign language*
alte Batterien und Handys sammeln	*collect old batteries and mobile phones*
weniger fernsehen	*watch less TV*
umweltfreundliches Papier kaufen	*buy recycled paper*
Um Spenden zu sammeln, kann man ...	*To collect donations, you can ...*
Autos waschen	*wash cars*
einen Kuchenverkauf organisieren	*organise a cake sale*
eine Modenschau machen	*put on a fashion show*
ein gesponsertes Schweigen machen	*do a sponsored silence*
ein Benefizkonzert organisieren	*organise a charity concert*
an einem Benefizlauf teilnehmen	*take part in a charity run*

Level descriptors

Listening

Level 4	I can understand the main points of spoken passages and some of the detail.
Level 5	I can understand the main points and opinions in spoken passages about different topics. I can recognise if people are speaking about the future **OR** the past as well as the present.
Level 6	I can identify the main points and specific details in spoken passages about a variety of topics. I can recognise if people are speaking about the present, past or future.
Level 7	I can understand longer passages and recognise people's points of view. I can understand complex sentences and unfamiliar language.

Speaking

Level 4	I can take part in conversations. I can express my opinions. I can use grammar to change phrases to say something new.
Level 5	I can give short talks, in which I express my opinions. I can take part in conversations giving information, opinions and reasons. I can speak about the future **OR** the past as well as the present.
Level 6	I can give a short talk and answer questions about it. I can take part in conversations and give longer, more detailed responses. I can apply the grammar I know when talking about new topics.
Level 7	I can answer unprepared questions. I can start and develop a conversation. I can take part in a conversation on more serious topics.

Stimmt! 3 Rot © Pearson Education Limited 2015

Level descriptors

Reading

Level 4	I can understand the main points in short texts and some of the detail. Sometimes I can work out the meaning of new words.
Level 5	I can understand the main points and opinions in texts about different topics. I can recognise if the texts are about the future **OR** the past as well as the present.
Level 6	I can understand the differences between the present, past and future in a range of written texts. I can pick out the main points and specific details.
Level 7	I can understand longer texts and recognise people's points of view. I can understand complex sentences and unfamiliar language.

Writing

Level 4	I can write short texts on familiar topics. I can use grammar to change phrases to write something new.
Level 5	I can write short texts on a range of familiar topics. I can write about the future **OR** the past as well as the present.
Level 6	I can write texts which give opinions and ask for information. I can write descriptions and use a variety of structures. I can apply the grammar I know when writing about new topics.
Level 7	I can write articles and stories. I can express opinions and points of view. I can write about real and imaginary subjects. I can link sentences and paragraphs and structure my ideas. I can adapt the language I know and redraft my work to improve it.

Published by Pearson Education Limited, Edinburgh Gate, Harlow, Essex, CM20 2JE.

www.pearsonschoolsandfecolleges.co.uk

Text © Pearson Education Limited 2015
Edited by Melanie Birdsall
Typeset by Oxford Designers and Illustrators Ltd
Original illustrations © Pearson Education Limited 2015
Illustrated by John Hallett, Clive Goodyer, Sean and Andy at KJA Artists.
Cover photo © Pearson Education Limited: Jörg Carstensen

The rights of Oliver Gray to be identified as author of this work have been asserted by
him in accordance with the Copyright, Designs and Patents Act 1988.

First published 2015

21
12

British Library Cataloguing in Publication Data
A catalogue record for this book is available from the British Library

ISBN 978 1 447 94658 8

Printed in the Uk by Ashford Colour Press Ltd.
Acknowledgements

The publisher would like to thank the following for their kind permission to reproduce
their photographs:
akg-images Ltd: Von der Heydt-Museum, Wuppertal, p.28

We would like to thank Melissa Weir, Melanie Birdsall, Angelika Libera, Frances Reynolds
and Nina Timmer for their invaluable help in the development of this course.

Every effort has been made to contact copyright holders of material reproduced in
this book. Any omissions will be rectified in subsequent printings if notice is given to
the publishers.

www.pearsonschools.co.uk
myorders@pearson.com

T 0845 630 33 33
F 0845 630 77 77

ISBN 978-1-4479-4658-8